아파트 숲

아파트 숲

사진 류준열
기획 이인규

아파트 숲

기획 이인규

흔히 아파트가 가득한 풍경을 일컬어 '아파트 숲'이라고 부른다. 높게 솟은 아파트 건물이 드리우는 회색빛 차가운 그늘을 떠올리게 하는 이 단어를 들을 때마다 나는 어딘지 모를 불편함을 느꼈다. 언제부턴가 집이 공원이나 산에 붙어 있지 않는 한 서울에서 자신의 집 창밖으로 싱그러운 초록빛을 볼 수 있는 가능성은 매우 낮아졌다. 최대한의 크기로 들어찬 빌라들의 골목에서는 나무 한그루에 내어줄 작은 여유도 찾아보기 쉽지 않다. 이 도시의 슬픈 변화를 우리는 너무 쉽게 아파트 탓으로만 넘겨버리고 마는 것은 아닌가. 오히려 오래된 아파트 단지 안에서 무성하게 자라난 나무들은 '아파트 숲'이 되어 도시 속 오아시스 같은 존재가 되었는데 말이다.

서울의 동쪽 구석에 있는 거대한 아파트 단지인 둔촌 주공아파트 안에는 넓은 녹지와 잘 자란 나무들이 가득하다. 처음 지어질 때부터 건축과 녹지의 경계가 희미해서 아이들은 자연스럽게 잔디밭을 뛰어다니며 놀았다. 나무들이 자라고 있는 흙 위로 사람이 다니는 샛길이 자연스럽게 생겨났고, 길을 따라 단지 곳곳에 놓여 있는 의자와 평상에서 잠시 앉아 쉬어갈 수 있었다. 나무로 뒤덮인 언덕과 뒤뜰은 사시사철 소소한 삶의 추억을 함께 해주었다. 봄이면 집 뒤 언덕에 쪼그리고 앉아 쑥을 캐기도 하고, 여름이면 나무 그늘에서 땀을 식히기도 하고, 가을이면 익어가는 대추나 감도 따고, 겨울이면 나무 사이로 눈썰매를 즐겼다. 서울이라는 도시의 한구석에서 이렇게 자연과 함께 살아가는 풍경이 가능하다는 것은 생각할수록 놀라운 부분이다.

지금은 아파트 높이 만큼 자라난 거목이 가득하지만 둔촌 주공아파트도 옛 사진을 보면 드넓은 잔디 위에 볼품없이 앙상한 나무들을 듬성듬성 세워 놓은 모습을 볼 수 있다. 이곳을 처음 설계하고 만든 사람은 눈앞에 보이는 앙상한 나무가 시간이 흘렀을 때 아름다운 풍경을 만들어 낼 것을 상상하며 수종을

고르고, 빛과 바람이 잘 들 수 있는 위치를 찾아 어울려 자라날 친구 나무도 함께 심어주었을 것이다. 그리고 나머지는 '시간의 몫'으로 믿고 기다려주었다. 그 믿음을 저버리지 않고, 나무들도 참 열심히 자라났다. 하늘을 다 가릴 정도로 가지를 뻗어 나가면서도 이웃 나무들과 사이좋게 자리를 나눠 가졌고, 수많은 새의 편안한 둥지가 되어 주었다. 덕분에 이곳에 사는 사람들은 집 안에서도 푸른 자연과 새소리를 즐길 수 있었다. 창문을 향해 손을 뻗어오는 푸른 나뭇잎과 매일 인사를 나누고, 바람을 타고 들어오는 꽃향기에 설레기도 했을 것이다. 그렇게 시간과 나무가 만들어 낸 아름다움을 이곳에 사는 사람들은 누렸고, 늘 가까이에서 벗이 되어준 자연을 사랑하고, 감사했다.

시간이 쌓여갈수록 나무는 자라났지만, 반대로 사람이 만들어 낸 것은 모두 낡아 버렸다. 사람들은 계산기를 두드리기 시작했고, 이곳을 다 갈아엎고 새로운 세계를 건설하기로 했다. 그토록 큰 사랑을 주고받던 거목들은 이제 사람의 얄팍한 계산기가 감당하기엔 너무 버거운 존재가 되어버렸다. 나무들은 결국 베어지게 될 것이고, 그 나무들을 만들어 낸 시간도 원점으로 되돌아가게 될 것이다. 그렇게 서울에 몇 남지 않은 '아파트 숲'은 사라지게 될 것이다.

나무들이 그렇게 자라나는 동안, 우리는 왜 이렇게밖에 자라나지 못했을까 되묻게 된다. 왜 우리는 아직도 모든 것을 밀어버리는 것밖에 생각하지 못하는 걸까? 왜 우리는 소중한 것을 그저 잃어버리게 되는 걸 너무 당연하게 받아들이고 있는 걸까? 지금 우리가 변하지 못한다면, 우리에게 그만큼의 시간이 다시 주어진다고 해서 과연 우리가 조금이라도 달라질 수 있을까?

둔촌주공아파트의 나무들과 보낸 시간

사진 류준열

둔촌주공아파트는 나의 통학로였다. 버스를 타고 동북고등학교로 통학하던 나에게 동북고등학교로 가는 가장 빠른 길은 둔촌종합상가에서 버스를 내려 둔촌주공아파트를 가로질러 가는 길이었다. 아파트 단지 자체가 정말 크고 오래되어서 샛길도 많았고, 각종 나무가 우거져 있어서 처음에는 길을 헤매기 일쑤였다. 길을 아직 잘 모르던 저학년 시절에는 앞에 가던 동북고 학생의 뒤를 몰래 따라갔던 기억이 난다.

사진이 취미였던 고등학생 시절의 나에게 학교 바로 앞에 이렇게 오래된 아파트와 멋지게 어우러진 거대한 나무들이 가득한 곳이 있다는 것은 축복이었다. 등하교하던 새벽과 저녁노을이 질 무렵에 주공아파트를 가로지르다 보니 시간대도 완벽했다. 벚꽃이 필 무렵과 낙엽이 질 즈음에는 가방에 카메라를 꼭 챙겨 넣고 하굣길에 사진을 찍느라 바빴다.

사진을 전공하는 대학생이 되어 1년이 넘는 기간 동안 둔촌주공아파트를 구석구석 탐방하며 단지 내 나무들의 사계절을 사진으로 담았다. 봄에는 흐드러지게 핀 벚꽃이 바람에 흩날리기를, 여름에는 울창하게 우거진 나뭇잎 사이로 들어오는 한 줄기 빛을, 가을에는 울긋불긋하게 물든 잎들이 햇빛에 비치기를, 겨울에는 눈이 펑펑 내려 가지에 고이 쌓이기를 기다렸다. 사계절 모두 너무나 아름다웠고 더 담아내지 못한 지난 계절들이 아쉽게 느껴진다.

단지 안의 나무들은 앞으로 지어지게 될 새로운 아파트에 밀려나 사라지게 될 운명이다. 새로운 아파트는 일상을 편하게 만들어 주겠지만, 낡고 허름해도 드넓은 수풀이 우거져있던 대단지에서 성장해 온 사람들은 나무들과 맺어 왔던 세월의 기억을 쉽게 잊지 못할 것이다.

이 작업을 통해서 사람들이 아파트 단지에 콘크리트만 있는 것이 아니라 나무도 있다는 것에 관해 관심을 두었으면 한다. 나중에 이 사진들이 '둔촌주공아파트에 이렇게 멋진 나무들이 있었구나.'라며 추억할 수 있는 매개체가 될 수 있기를 바란다.

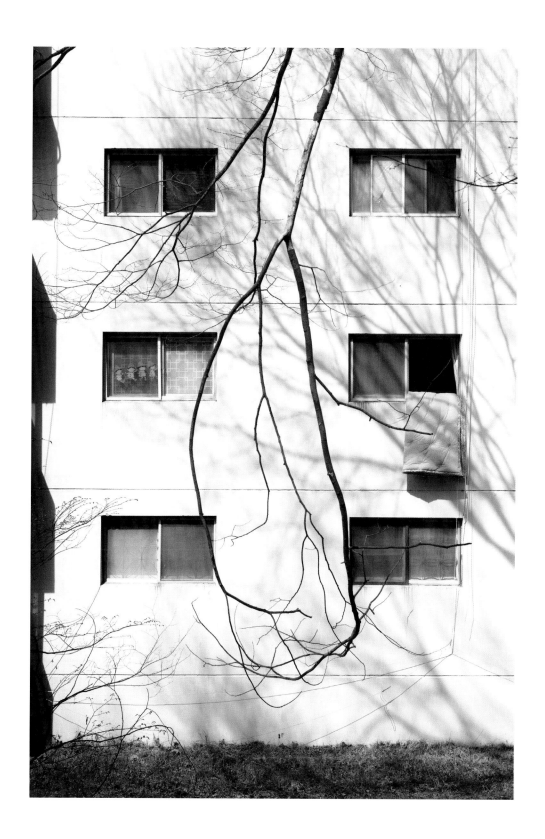

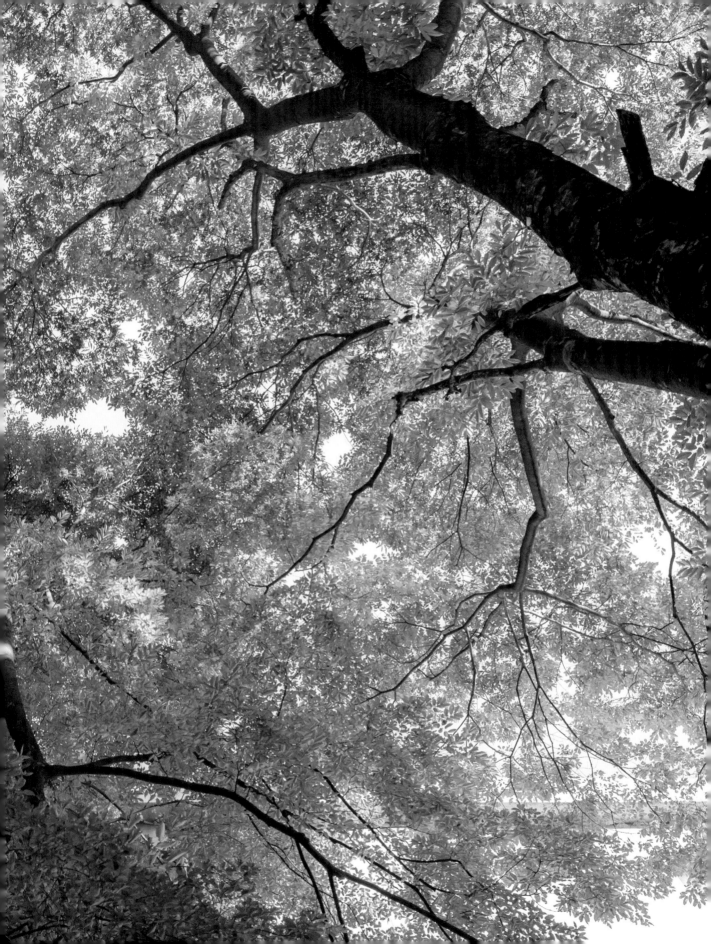

아파트 숲

ISBN 979-11-954335-7-5

초판 1쇄 인쇄 2016년 11월 21일
초판 1쇄 발행 2016년 11월 28일

값 22,000원

발행처 마을에숨어
출판등록 2014년 12월 19일
등록번호 979-11-954335
이메일 hideinmytown@gmail.com

발행/기획 이인규
사진 류준열

후원 강동구청
인쇄 문성인쇄

Special Thanks to
상명대학교 사진영상미디어학과 동문회, 울림, 김정자, 류인덕